D1396074

L'Aloès

Une plante aux nombreuses vertus

C.P. 325, Succursale Rosemont
Montréal, Qc H1X 3B8
Tél. : (514) 522-2244

Éditeur: Pierre Nadeau
Photos: Pierre Dionne et Marcel Allard,
                              Ponopresse International
Mise en pages et couverture: Iris Montréal Ltée
                                     593-2872
Distribution:
Agence de distribution populaire inc.
Filiale de Sogides Ltée
955, rue Amherst   **adp**
Montréal, Qc H2L 3K4
Tél. : (514) 523-1182

Dépot légal: deuxième trimestre 1994
Bibliothèque nationale du Québec
Bibliothèque nationale du Canada

Première impression: mai 1994
Deuxième impression: août 1994

LUCY DE LONGPRÉ
NATUROPATHE

L'Aloès

UNE PLANTE
AUX
NOMBREUSES
VERTUS

AVERTISSEMENT

Je suggère à toute personne désireuse de suivre les indications contenues dans ce livre d'en parler au préalable à son médecin.

Quiconque désire suivre les conseils consignés dans ce livre sans l'approbation du médecin exerce un choix personnel, ce qui est son droit le plus strict.

Dans ce cas, l'éditeur et l'auteur déclinent toute responsabilité.

TABLE DES MATIÈRES

Le mot de l'Éditeur.................................9
Avant-propos............................13

PREMIÈRE PARTIE
Généralités et conseils de base..........21
1- L'Aloès Vera: mythes, réalités
   et pouvoirs 23
2- Le rôle de l'Aloès Vera et le vôtre..33
3- Des maux et des problèmes:
   des solutions!........................39
4- Problèmes chroniques et solutions...45
5- Quelques autres applications
   pratiques.............................49

DEUXIÈME PARTIE
À problèmes spéciaux...
   solutions spéciales! 53
6- L'Aloès... anti-grippe!!!.............55
7- Finis les ennuis provoqués
   par le soleil!........................59
8- Combattre l'acné....................63

9- Stopper la perte des cheveux............65

10- Urgences et premiers soins..........69

11- Le Nectar d'Aloès: un breuvage
     tonifiant..71

12- Les enfants, les adolescents...
     et l'Aloès 75

13- L'Aloès au service des sportifs........74

TROISIÈME PARTIE

Une clinique pour votre bien-être.......81

14-Thérapie révolutionnaire:
     oxygénation bio-catalytique..........83

En conclusion............................89

QUI EST LUCY DE LONGPRÉ?

Madame Lucy De Longpré n'est pas une inconnue.

Des milliers de personnes syntonisent la station radiophonique CKVL à Verdun durant la soirée, un soir de semaine alors que madame De Longpré anime une émission au cours de laquelle elle entretient ses auditeurs de diverses thérapies et de leurs effets sur la santé. Par la même occasion, elle partage des expériences de vie avec ses auditeurs par le biais d'une ligne ouverte qui remporte un grand succès. Cela est sans conteste dû au fait que madame De Longpré sait provoquer les confidences et les réflexions; d'ailleurs, tout au long de ces émissions, les témoignages ne manquent pas d'affluer. Ils font parfois sourire, mais surtout ils bouleversent et émeuvent comme c'est souvent le cas lorsque nos faiblesses et nos carences humaines sont mises en évidence.

Disons-le: dans nombre de cas, ce qui pourrait sembler être des appels anodins d'auditeurs communiquant avec une animatrice se révèle être des témoignages dramatiques, voire des appels «au secours».

Madame De Longpré, qui a elle-même durement combattu la maladie, admet qu'elle ne peut rester insensible vis-à-vis des gens qui souffrent d'affliction et de détresse. Après avoir réussi à vaincre la maladie, elle a décidé de se consacrer aux autres et a alors entrepris un cheminement qui l'a fait s'initier à diverses thérapies avant de se spécialiser, en quelque sorte, dans le traitement à partir de l'Aloès Vera.

Parce que — pour elle — et les lecteurs partageront son point de vue à mesure qu'ils avanceront dans la lecture de ce livre —, l'Aloès Vera possède indéniablement de nombreuses propriétés exceptionnelles et des valeurs curatives que personne ne cherche à nier aujourd'hui.

Madame De Longpré parle de l'Aloès Vera, aussi appelé le «docteur en pot» ou plus poétiquement «le lys qui guérit», comme d'un «outil» qui peut tous nous mener, indépendamment du malaise ou de la maladie qui nous touche, au recouvrement de la santé. Elle a d'ailleurs, dans ses dossiers, de nombreux témoignages de personnes qu'elle a traitées avec succès au cours des dix dernières années.

En femme dévouée à sa cause, toujours en quête de solutions aux problèmes dont nous pouvons tous souffrir à un moment ou à un autre de notre vie, madame De Longpré poursuit encore aujourd'hui ses recherches dans le but d'améliorer — si faire se peut — ses techniques.

Un livre, un guide pratique

Madame De Longpré nous présente aujourd'hui, sans prétention et avec cette humilité qui la caractérise, ce petit livre qui constitue non seulement une initiation à la science de l'Aloès Vera, mais aussi, et surtout, un guide pratique qui nous fera découvrir les propriétés et les valeurs curatives de cette plante exceptionelle.

Le message de madame De Longpré?

Un message d'espoir. Tout simplement.

L'Éditeur

GARDER L'ESPOIR

Je reçois quotidiennement à ma clinique des gens aux prises avec des problèmes, des malaises et des maux de toutes sortes; des gens chez qui, trop souvent malheureusement, l'espoir a fait place à la détresse. Et je ne parle pas ici de la souffrance physique qui les accable. Ils viennent à ma clinique mais, parce qu'ils ont déjà consulté de nombreux médecins et thérapeutes sans obtenir les résultats qu'ils souhaitaient, ils ne croient plus beaucoup pouvoir trouver une solution à leurs problèmes.

Je reconnais leur état.

Je reconnais leur voix, leurs gestes aussi.

Parce qu'un jour, il y a des années, j'ai personnellement vécu ces mêmes épreuves auxquelles ils sont aujourd'hui confrontés.

J'étais exactement comme tous ces gens qui viennent me consulter; confrontée à toutes sortes de problèmes, en proie à toutes sortes de maux, victime de tant de maladies — allant des malaises cardiaques aux problèmes nerveux, en passant par les troubles circulatoires et digestifs — je me sentais, moi aussi, terriblement seule et désespérée dans cette situation qui semblait insoluble.

J'ai connu la peur, la détresse, le chagrin aussi. Ce qui me blessait profondément c'était ce sentiment d'impuissance qui m'habitait lors des consultations avec les médecins, les chirurgiens et autres spécialistes en «tout genre». Leur vocabulaire même était quasi effrayant, en ce sens que je n'y comprenais rien et que fort peu d'entre eux daignaient m'expliquer en langage simple, en mots clairs, ce dont je souffrais. Les uns me traitaient pour quelque chose, les autres pour autre chose. Je crois qu'à ce moment-là, j'étais en quelque sorte devenue une pharmacie ambulante. Pris séparément, les traitements auraient sans doute provoqué des résultats mais, les uns ne s'accordant pas avec les autres, j'étais prise dans un engrenage dont il me semblait que je ne sortirais jamais.

Lasse de toutes ces «expérimentations», je décidai un jour d'affronter seule ces maladies qui m'agressaient. J'ai d'abord dû surmonter mon désespoir puis, une fois cette étape franchie, regarder avec lucidité les avenues qui m'étaient offertes, les thérapies qui pouvaient me permettre d'envisager l'avenir de façon plus prometteuse.

C'est alors que j'ai découvert l'Aloès Vera. Pour moi, cela a été LA solution à tous mes problèmes.

Mais lorsque je dis LA solution à tous mes problèmes, il faut toutefois prendre garde et éviter de sauter trop rapidement à la conclusion qui nous ferait dire de cette plante qu'elle est «miraculeuse».

Elle a des propriétés et des valeurs curatives indéniables, incontestables même, mais elle ne doit pas remplacer la médecine traditionnelle dans les cas de problèmes graves où les traitements prescrits par les médecins doivent tout de même être suivis; dans ces cas bien particuliers, l'Aloès Vera doit être perçue comme un atout supplémentaire, un «soutien» à la médecine traditionnelle.

Elle peut même être l'élément déclencheur de la guérison ou du soulagement. Mis à part ces cas particuliers, l'Aloès Vera peut effectivement être la solution. L'on s'accorde à dire que l'on consulte trop les médecins alors que, bien souvent, certains malaises pourraient être soulagés ou guéris par ce qu'on appelle les médecines douces, dont le traitement à l'Aloès Vera fait partie. Ce sont des médecines douces, mais ce ne sont pas des médecines nouvelles. L'Aloès Vera, par exemple, est utilisée depuis des siècles. Je reviendrai d'ailleurs sur cet aspect dans les pages suivantes.

Des cas pathétiques

Mon entourage n'a pas été sans remarquer les changements notables de mon état de santé. Plus je progressais dans mes recherches, plus ma santé s'améliorait et mes problèmes s'estompaient. Des proches ont commencé à me demander conseil. Avec mes connaissances acquises, j'y répondis. Les résultats furent étonnants. Si bien que, lorsque je retrouvai ma pleine forme, je décidai de mettre de côté mes préoccupations professionnelles d'alors pour me consacrer à plein temps à ma nouvelle passion: aider les autres grâce à cette thérapie à l'Aloès Vera que j'ai développée.

De là date la création de ma clinique.

Dès les débuts, j'ai réalisé que je n'avais pas été la seule à vivre cette désespérance et cette solitude qui avaient été miennes. Les cas pathétiques — et pire que le mien — sont nombreux.

Pourtant, des dizaines, voire des centaines de personnes qui sont venues me consulter à la clinique ont trouvé le soulagement et même la guérison face à leurs problèmes, leurs maladies et leurs maux.

Des gens qui, pourtant à la première visite, ne nourrissaient plus guère d'espoir de voir à nouveau la lumière briller au bout du tunnel.

En peu de temps, après quelques jours ou quelques semaines pour les cas les plus légers et quelques mois pour les cas les plus lourds, ils n'ont pas seulement vu la lumière au bout du

tunnel mais... ils retrouvaient carré-
ment leur place au soleil!

Lucy de Longpré

PREMIÈRE PARTIE

GÉNÉRALITÉS
ET
CONSEILS DE BASE

L'ALOÈS VERA :
MYTHES, RÉALITÉS
ET POUVOIRS

Cette plante que l'on nomme Aloès a plusieurs ramifications, c'est-à-dire qu'on en retrouve de nombreuses espèces. La plus connue est l'Aloès Vera qui, précisément, est la gelée mucilagineuse de la plante Aloès. En fait, on dénombre pas moins de 300 variétés d'Aloès — l'Aloès Vera est la variété la plus extraordinaire grâce à ses innombrables vertus thérapeutiques.

Quelques faits historiques, mais non moins intéressants :

• *Le Livre égyptien des remèdes* cite divers types d'extractions d'Aloès pour soigner les infections, pour frictionner la peau et préparer des remèdes à base d'Aloès. Ce livre date d'environ... 1550 avant J.-C.

- Vers 1750 avant J.-C., on découvre chez les Sumériens les premiers comptes rendus des premiers usages thérapeutiques de l'Aloès écrits sur des tablettes d'argile.

- En Égypte, une tradition voulait qu'on apporte de l'Aloès comme cadeau aux cérémonies funéraires en guise de symbole du renouvellement de la vie — l'Aloès accompagnait le pharaon jusqu'à son lieu de dernier repos dans la Vallée des Rois.

- Au Moyen-Orient, la valeur symbolique et religieuse de l'Aloès a eu une très grande importance; les musulmans suspendaient l'Aloès à leur porte pour témoigner qu'ils avaient effectué leur pèlerinage à La Mecque.

- L'une des plus extraordinaires pro-priétés de l'Aloès est que, même privée d'eau et de terre, cette plante peut vivre pendant des années et même fleurir.

- On dit que Cléopâtre utilisait l'Aloès pour se composer des bains de beauté afin de conserver un corps jeune et attirant, mais aussi pour garder une bonne forme.

- L'une de ses variétés servit à la fabri-cation de la bière dans l'Antiquité.

Un «remède» international

L'Aloès Vera, aujourd'hui cultivée en Asie et en Afrique, comme en Amérique, trouve ses origines aux temps des Égyptiens. On note même que plusieurs passages de la Bible en font mention. On disait alors de cette plante qu'elle avait été «cultivée» par Dieu lui-même pour donner aux hommes un moyen de guérison à tous leurs maux. Cependant, c'est son utilisation par les Sumériens, lesquels accordaient une valeur «miraculeuse» à la plante, qui est à l'origine de l'usage qu'on en fait dans la civilisation moderne. Plus tard, les Arabes, les Romains, les Grecs puis, bien plus tard encore, les Européens et les Américains ont découvert les propriétés thérapeutiques de cette plante.

Si l'on reconnaissait hier ses propriétés et ses vertus, il en est de même aujourd'hui alors que ses effets thérapeutiques sont reconnus partout à travers le monde.

Par exemple, aux Philippines, on en mélange la pulpe avec du vin pour fabriquer un tonique pour les cheveux; à Hawaii et en Polynésie française, on utilise l'Aloès pour prévenir la chute des cheveux. Dans les îles des mers du Sud, l'Aloès sert à concocter des remèdes contre l'arthrite.

À Java, à Curaçao, à Cuba, en Jamaïque, à la Barbade, aux Caraïbes, l'Aloès a toujours été à la base des remèdes préconisés par la médecine traditionnelle. Soulagement des brûlures, désordres digestifs, maux de tête, prévention des cicatrices dans les cas de blessure ou d'inflammation de la peau, on l'utilise même pour combattre le rhume en la mélangeant avec du rhum et du sucre! Les Bantous d'Afrique du Sud, pour leur part, emploient une vingtaine d'espèces d'Aloès pour soigner les brûlures, les dermites, les inflammations des yeux, les rhumes, les maladies vénériennes, les hémorroïdes, la constipation et les troubles intestinaux dont ceux provoqués par des vers.

L'Aloès est également connue et utilisée en Chine, au Tibet, en Malaisie, à Sumatra et dans les Indes occidentales.

Partout dans le monde, de l'Afrique au Québec, l'Aloès s'est implanté comme médicament tout usage, en raison de ses propriétés qui ne manquent pas d'étonner ni de surprendre par leur grande efficacité.

Mythe ou réalité?

Mais, justement, parce qu'on lui a accordé tant de propriétés pour soulager ou guérir tant de maux et de maladies, la médecine officielle l'a d'abord catalogué comme un produit de charlatans. Ce n'est en fait que depuis une trentaine d'années que l'Aloès Vera a fait un retour en force. On a dû se rendre à l'évidence que l'Aloès Vera n'était pas un mythe, que ses propriétés et ses valeurs thérapeutiques étaient une réalité. Dès lors, les laboratoires, principalement américains et russes, se sont mis à l'oeuvre. Leurs conclusions ont touché différents aspects et différentes propriétés, mais tous les spécialistes, quel que soit leur domaine, ont reconnu que son efficacité était incontestable.

Un médecin américain, le docteur Gage, écrivait dans un livre publié aux États-Unis sous le titre *Aloe Vera*:

«Les médecins, même s'ils ne le disent pas, utilisent des crèmes à base d'Aloès Vera pour traiter des blessures sérieuses telles que les brûlures et les engelures. Les dentistes s'en servent pour réduire l'inflammation des gencives. Les dermatologues font confiance aux produits dérivés de l'Aloès Vera pour éliminer l'acné et même, de façon plus générale, pour le traitement de la peau. Des entraîneurs professionnels traitent leurs athlètes souffrant de muscles endoloris, d'entorses, d'éraflures ou d'ampoules avec des produits également dérivés de l'Aloès Vera. Les compagnies de produits cosmétiques incorporent l'Aloès Vera dans les crèmes pour la peau, les savons et les shampooings pour les bienfaits que la plante procure.

«Bien d'autres utilisations professionnelles, effectuées sous surveillance, ont toujours cours. Mais, malgré cela, certains doutent encore de ses propriétés curatives...»

Robert Dehin, spécialiste de la question, écrivait dans *Docteur Aloès / Aloe Vera, plante médicinale* des propos que l'on gardera en mémoire:

«...l'Aloès Vera quittera pour de bon le purgatoire des plantes sorcières et accédera enfin à la reconnaissance officielle, ou tout au moins officieuse. Le corps médical américain mettra de côté sa méfiance initiale à l'égard de l'Aloès Vera et commencera à s'intéresser pour de bon à ses multiples possibilités thérapeutiques.»

L'utilisation actuelle de l'Aloès Vera est encore plus répandue qu'on ne le croit. C'est beaucoup plus qu'un simple soulagement pour une insolation due à une exposition prolongée aux rayons du soleil — comme nombre d'entre nous en ont fait l'expérience. Elle sert dans le traitement de nombreux problèmes, et combien plus sérieux. Par exemple, dans les cas de douleurs et d'ennuis inhérents aux maux de tête, maladies des yeux, maux de dos, bursites, problèmes circulatoires, inflammations chroniques, plaies qui tardent à se cicatriser, problèmes du système locomoteur et osseux, désordres cardiaques, blessures sportives, ainsi que cellulite et embonpoint.

Si l'on peut parvenir à des résultats dans le traitement de ces maladies et de ces problèmes de santé, il ne faut cependant pas croire que ceux-ci se régleront instantanément ou comme par magie! Selon chaque cas — le traitement étant personnalisé —, certains traitements se mesureront en termes de journées alors que pour d'autres il faut envisager des traitements de quelques mois.

LE RÔLE DE L'ALOÈS VERA ET LE VÔTRE!

Pour que n'importe quel traitement à l'Aloès Vera réussisse, il faut que vous ayez conscience du rôle IMPORTANT que vous jouez dans cette réussite. Je l'ai dit précédemment et je le répète, l'Aloès Vera n'est pas une thérapie miracle. Ses propriétés ne sont vraiment efficaces que si vous suivez à la lettre les recommandations et si, chaque jour, vous êtes fidèle à la thérapie qu'on vous a suggérée.

Malheureusement, et ce n'est pas rare, beaucoup sont habités par de bonnes intentions, mais voilà, leur action reste au niveau des intentions. Ils viennent nous consulter, se font établir une thérapeutique à suivre, achètent ce dont ils ont besoin pour suivre la thérapie mais... nc la suivent pas. Ou la suivent de façon irrégulière.

À ceux-là je dis: ne vous attendez pas à des résultats probants.

Parce que même si l'on considère l'Aloès Vera comme une plante miracle, c'est aussi une plante qui fait appel à l'intelligence et au désir des gens de trouver le soulagement, voire la guérison.

On ne peut obtenir de résultat si l'on ne se soumet pas à la thérapie recommandée, que cela soit clair dans l'esprit de chacun. Se soumettre à la thérapie, c'est la suivre sans tricher, sans fuir et sans se raconter d'«histoire».

Bref, il faut être honnête avec soi-même.

Si vous avez entrepris une démarche vers la guérison, quelle que soit votre maladie, il n'y a qu'un moyen d'y parvenir: suivre à la lettre les recommandations qui vous sont faites. L'Aloès fera le «travail» auquel vous êtes en droit de vous attendre, mais vous devez aussi faire le vôtre!

L'Aloès Vera: sous quelle forme?

L'Aloès Vera est une plante. Elle est donc transformée de différentes façons pour faciliter son utilisation dans diverses thérapies; on la trouvera dans une vaste «gamme» de produits tels des ampoules, des gels buvables, des capsules, des crèmes concentrées, des onguents, des lotions et d'autres encore. Autre avantage, très peu de gens sont allergiques à l'Aloès Vera, et si certaines allergies apparaissent, il se peut qu'elles soient causées par les ingrédients ajoutés aux produits, surtout les cosmétiques. Toutefois, à notre clinique, l'Aloès Vera est traité de façon à ce que, justement, il ne puisse être une source allergène. Cela ne nous empêche cependant pas d'offrir certains produits, mais toujours naturels, dans lesquels le corps trouvera tout ce dont il a besoin pour se régénérer.

Voici une liste, sommaire je le précise, des produits dont nous nous servons le plus souvent:

- les ampoules d'Aloès pur à 100 pour cent, les ampoules concentré 20X ne contiennent évidemment aucun colorant, aucun sucre ni arôme ajouté. Le produit est cultivé organiquement et stabilisé à froid. Ces ampoules servent spécialement à ceux qui ont besoin d'une forte dose et à ceux qui font des allergies;

- les ampoules d'Aloès Royal — qu'on peut cependant retrouver sous forme de concentré et de gelée — sont un produit à base naturelle, cultivé organiquement, et minutieusement préparé en laboratoire. Très riche en vitamines et en minéraux, c'est aussi un très bon supplément nutritif. Il agit comme stimulant à tous les niveaux et augmente la résistance de l'organisme à l'infection et à la maladie en général;

- les acides aminés: l'Aloès contient 16 acides aminés parmi lesquels huit sont essentiels au corps humain; soulignons que la plante est très riche en potassium, magnésium, zinc, calcium, vitamines et minéraux.

- l'Aloès peut aussi se présenter sous forme de lotion tonique et d'eau lubrifiante; dans les deux cas, elles hydratent la peau. Elles doivent être utilisées le matin et le soir après le nettoyage de la peau. Il s'agit d'un tonique pour le soin du visage qui agit pour faire pénétrer en profondeur la crème de base ainsi que pour atténuer les rides. Notons qu'elles contiennent de l'Aloès Vera pur à 98 pour cent et de la vitamine E. De plus, l'Aloès Vera équilibre le PH de la peau.

Selon les problèmes, d'autres «formes» de l'Aloès Vera pourront être mises à contribution.

3

DES MAUX ET DES PROBLÈMES : DES SOLUTIONS!

Les utilisations de l'Aloès Vera, le principal dérivé de la plante de l'Aloès, sont innombrables et directement proportionnelles aux maux qui vous affectent. Les produits dérivés ou, si vous préférez, fabriqués à partir de l'Aloès peuvent contribuer au soulagement ou à la guérison de nombreux problèmes. Si, comme je l'ai déjà mentionné, on établit la thérapie cas par cas, il existe tout de même certains conseils de base qui peuvent s'appliquer à la plupart de ceux qui souffrent d'un problème en particulier.

Voici donc, en quelques phrases seulement, quelques applications pratiques de l'Aloès. Ces produits peuvent être utilisés en tout temps, ou selon la posologie expliquée ci-dessous.

- *Cellulite (ou embonpoint)*: 1 ampoule de Diète-forme Aloès le soir au coucher avec une Tisane De Longpré. On appliquera de la crème (Bogel) pour raffermir. Aussi, avec de l'argile délayée avec de l'Aloès, on fera une bonne application qu'on «enveloppera» ensuite avec du *Saran-Wrap*. On gardera cette application toute la nuit. On conseille également de prendre 4 onces d'Aloès par jour. Il va sans dire que ce traitement devra être accompagné d'un régime amaigrissant sévère.

- *Cheveux (perte de)*: on aura recours à la lotion capillaire Aloès; trois boîtes suffisent habituellement pour stopper la chute des cheveux. On conseille aussi de prendre le Nectar d'Aloès, à raison de 2 onces 4 fois par jour. Petit conseil pratique: ne vous séchez jamais les cheveux à l'air chaud, ne les faites sécher qu'à froid.

- *Diète-forme*: un breuvage diététique mais, attention, ce n'est pas un substitut de repas. Il faut prendre trois repas équilibrés par jour. On prendra aussi une ampoule de Diète-forme après quatre heures passées à jeun, accompagnée d'une tisane ou d'un verre d'eau. On peut aussi prendre le Nectar car il agit comme coupe-faim (2 onces avant les repas et au coucher). De plus, le Nectar raffermit les chairs et équilibre les acides aminés et les minéraux. Il vous faut aussi prendre un diurétique dans plusieurs cas.

- *Sexuels (problèmes)*: Aloès Royal tous les matins à jeun. On ajoutera à ce régime de la Gelée Royale Pure et du Ginseng tout en accompagnangt cela d'une thérapie de régénération détente.

- **_Fatigue générale_**: une ampoule d'Aloès Royal le matin et une autre à 17 heures, pendant cinq jours, ensuite 1 ampoule par jour.

- **_Hypertension_**: 1 à 2 onces d'Aloès par jour en augmentant graduellement. Ce n'est pas de l'eau.

- **_Hypoglycémie_**: 1 à 2 onces de Nectar avant chaque repas, toujours accompagné d'une bonne alimentation. La santé est dans notre assiette.

- **_Ongles (soin des)_**: 1 ampoule de Gelée royale tous les matins à jeun. On fera durer le traitement jusqu'à ce que l'on soit satisfait du résultat. On peut aussi nourrir l'ongle, non verni, avec la Crème Premiers Soins, matin et soir. Cela permet de durcir l'ongle et d'éviter le dédoublement. Boire du Nectar d'Aloès accompagné de calcium et de magnésium.

- *Seins (pour raffermir les)*: une ampoule d'Aloès Royal tous les matins. On se massera aussi les seins avec Bogel qui aide au raffermissement.

4

PROBLÈMES CHRONIQUES ET SOLUTIONS

Le but de ce guide, vous vous en doutez, n'est pas d'énumérer tous les problèmes que peut résoudre l'Aloès, mais bien de vous présenter les plus fréquents de même que les formes d'Aloès et leurs bienfaits qui vous permettront d'arriver au soulagement.

Il va de soi que les problèmes énumérés ci-après ne constituent pas une liste exhaustive. Mais elle vous permettra incontestablement de juger des potentialités de l'Aloès Vera.

Après avoir fait mention de quelques problèmes dans les pages précédentes, j'aborderai ici le sujet plus délicat des maladies chroniques. Il va de soi que, dans ces cas particuliers, il est recommandé de nous consulter privément puisque nous pourrons alors, selon l'évolution et la gravité du problème, personnaliser le traitement qu'on vous conseillera. Voici tout de même quelques «grandes lignes» qui devraient orienter votre démarche.

- **Allergies, asthme**: 1 ampoule de concentré 20x à jeun, tous les matins. Favorise une très grande amélioration.

- **Arthrite**: prendre 1 ampoule de concentré 20x tous les matins à jeun et frictionner avec Duromal.

- **Diabète**: cette affliction dont souffrent de nombreux Québécois et Québécoises a des conséquences fâcheuses. Une thérapie à l'Aloès ne peut sans doute pas guérir la maladie mais elle peut sans conteste aider les diabétiques.

Dans leur cas, nous conseillons de prendre de façon régulière 2 onces de Nectar quatre fois par jour, et 1 ampoule de concentré 20x à jeun le matin. Pour les cas plus graves, nous suggérons de prendre 1 ampoule de concentré 20 X pur à 100 pour cent, le matin à jeun et le soir accompagné d'extrait de pancréas.

- **Hémorroïdes**: il faut prendre 2 onces de Nectar, quatre fois par jour. En période aiguë, on en boira jusqu'à un litre par jour. On appliquera également de la Crème Premiers Soins et Lotion Premiers Soins introduite comme suppositoire jusqu'au soulagement complet.

- **Ulcère d'estomac et constipation**: il faut prendre 2 cuillerées à soupe de Gel avant et après chaque repas, de même qu'au coucher.

- **Ménopause et préménopause**: les produits recommandés sont les ampoules de Gelée Royale, Clitrex, la sauge, le calcium et le magnésium. Si vous faites de la rétention d'eau, il vous faut aussi prendre un diurétique.

- **Psoriasis**: on recommande de prendre de façon régulière 2 onces de Nectar, quatre fois par jour. On se servira aussi de la Crème Premiers Soins ou de la Lotion Premiers Soins ainsi que 3 capsules par jour de Jumelait. Chaque cas a sa formule.

- **Rhumatismes**: 2 onces de Nectar, quatre fois par jour. On se frictionnera aussi avec la crème Duromal — le soulagement est rapide et efficace!

- **Vaginites**: prendre 2 onces de Nectar, quatre fois par jour. Appliquer localement Lotion Premiers Soins. On utilisera une poire vaginale pour son application.

5

QUELQUES AUTRES APPLICATIONS PRATIQUES

L'Aloès Vera peut endiguer les plus graves infections. Qu'il s'agisse d'infections des voies urinaires, des organes génitaux, même de l'herpès, les traitements à l'Aloès produisent des résultats remarquables. Mais ce n'est pas tout car les dérivés de cette plante peuvent aussi combattre les maladies vénériennes. L'effet le plus immédiat de l'Aloès est d'anesthésier les parties touchées. De plus, grâce à ses effets internes, on arrive à contrôler et à endiguer la progression de la maladie — l'Aloès détruit les bactéries et les champignons. Si on était en Russie, on pourrait avoir le produit en injection.

En ce qui concerne les menstruations, les effets de l'Aloès sont littéralement fantastiques!

- Pour les spasmes musculaires dus à une menstruation difficile, par exemple, il suffit de prendre une ou deux cuillerées à café de Gel frais avec une pincée de poivre noir. Une ampoule d'Aloès Royal par jour pendant les douze jours qui précèdent les menstruations élimineront les douleurs et les autres troubles qui peuvent être causés par le cycle menstruel, particulièrement chez les jeunes filles.

- Pour les affections vaginales, il suffit de mélanger deux cuillerées à soupe d'Aloès Vera frais dans un litre d'eau tiède, auquel on ajoutera deux pincées de tuméric. On appliquera à l'aide d'une poire à douche vaginale tous les deux jours, pendant quatre jours.

- Pour l'herpès vaginal, on mélangera deux cuillerées à soupe d'Aloès à deux pincées de tuméric avant d'appliquer sur les plaies tous les soirs pendant une semaine, au moment du coucher.

DEUXIÈME PARTIE

À PROBLÈMES SPÉCIAUX
... SOLUTIONS SPÉCIALES!

6
L'ALOÈS... ANTI-GRIPPE!!!

Le mauvais temps, le froid, les courants d'air, voilà tout autant de conditions qui peuvent favoriser une grippe ou nous amener un bon rhume! Surviennent alors la congestion nasale, la toux, les maux de gorge et la sinusite. Préparez-vous donc à affronter l'hiver avec l'Aloès Vera qui vous aidera à combattre efficacement la grippe, le rhume et tous ces autres maux de saison.

Oui, l'Aloès est un excellent expectorant — c'est l'idéal pour triompher des rhumes et des grippes. Plus encore, il combat les bactéries, s'avère un excellent antiseptique et un formidable analgésique. Dans les cas de maux de gorge, on peut l'utiliser comme gargarisme pour aider à combattre l'infection et atténuer la douleur et l'irritation. Comme gargarisme, on se sert habituellement du Gel, mais on peut aussi recourir à un produit de l'Aloès qui se présente sous forme de vaporisateur. L'effet est tout aussi efficace dans un cas comme dans l'autre.

On recommande d'ailleurs ce même produit pour combattre les extinctions de voix. Avis donc aux interprètes de la chanson, aux comédiens et à tous ceux dont la voix est l'outil de travail.

Enfin, si votre rhume ou votre grippe est accompagné de fièvre, je vous recommanderais ce sirop dont je vous donne la recette.

Vous aurez des résultats étonnants:
• 3 c. à soupe de Nectar d'Aloès
  3 c. à soupe de glycérine liquide
  3 c. à soupe de miel
  3 c. à soupe de brandy
  3 c. à soupe de crème douce

Vous mélangez le tout et conservez au frigo. Vous en prenez au besoin, une cuillerée à café pour les enfants et une cuillerée à soupe pour les adultes.

7

FINIS LES ENNUIS
PROVOQUÉS PAR LE SOLEIL!

Une belle journée sur la plage, au bord d'un lac ou de la mer.

Quelques minutes seulement d'exposition au soleil et... aïe!

Ça y est, c'est l'insolation. Que faire?

Si vous êtes dans le Sud, il n'est pas rare alors de voir accourir un petit vendeur d'Aloès qui vous applique cette douce et rafraîchissante sève de la plante en question. En quelques instants, vos douleurs dues aux brûlures du soleil sont parties.

Mais, entre nous, il n'est pas nécessaire d'être dans le Sud pour profiter de cette propriété... rafraîchissante!

En fait, le miracle de l'Aloès, c'est de vous rendre la vie facile. L'Aloès peut vous permettre de garder l'amour du soleil sans en subir les rouges séquelles sur votre peau!

Notre clinique offre le Gel Bogel, issu d'une formule venant du Sud et fabriqué spécialement pour nos clients.

C'est un gel qui vous permet de bronzer, de rougir ou de brunir mais sans brûler! Vous conservez donc votre bronzage, tout en gardant votre peau bien hydratée. Le Gel Bogel, en plus d'atténuer les problèmes d'allergie solaire, peut vous aider pour vos... vergetures!

Mais il ne faut pas oublier que si le soleil touche à votre peau, il influence aussi tout votre organisme. Pour bien équilibrer vos fonctions organiques, nous vous recommandons donc de prendre aussi le Nectar qui oxygénera votre peau tout au long de l'été.

Mais les miracles de l'Aloès Vera ne s'arrêtent pas là, car le Gel Bogel contient non seulement de l'Aloès Vera mais aussi de la vitamine E. C'est un gel hydratant spécialement conçu pour la douche, le bain, le soleil, mais qui est aussi recommandé comme lotion après rasage pour les hommes dont la peau est délicate. C'est également un traitement pour raffermir les seins, les tissus et retrouver une peau douce et satinée.

8
COMBATTRE L'ACNÉ

L'Aloès Vera De Longpré reste avant tout un produit naturel qui combat des problèmes de santé par des méthodes naturelles.

Il en est ainsi de tous les problèmes de la peau, dont l'acné reste incontestablement le plus commun. Plusieurs personnes en souffrent mais, grâce à l'Aloès Vera, l'espoir est possible.

Je veux dire ici à tous ceux et celles qui en souffrent que j'ai eu beaucoup de succès auprès des gens qui en sont atteints. Ce problème est loin d'être insoluble (et combien désespérant!)

comme on le croit souvent. D'autant plus que le traitement est simple et efficace.

Tout d'abord on s'applique à nettoyer le métabolisme en prenant 2 onces de Nectar, quatre fois par jour. Puis, le soir au coucher, on prend soin de bien nettoyer sa peau avec un lait d'Aloès, avant d'appliquer la Lotion Premiers Soins et le masque d'argile.

Pendant la journée, on appliquera le Gel Bogel.

9
STOPPER LA PERTE
DES CHEVEUX

Il existe un espoir nouveau pour les gens qui voient tomber leurs cheveux de façon inexorable: grâce à une thérapeutique particulière — l'ionosinaise du Docteur Janet — il est maintenant possible non seulement de contrôler la perte des cheveux mais également de la stopper. Sans compter que l'Aloès fait des miracles pour les cheveux qu'il vous reste.

Pour maintenir les cheveux en santé, voici une petite thérapie simple et efficace qui ne prendra pas beaucoup de votre temps et dont vous serez fier.

Nous avons mis au point — tant pour les hommes que pour les femmes — un produit capillaire appelé la Lotion De Longpré. Il ne s'agit pas d'une lotion ordinaire car elle contient pas moins de 50 substances actives destinées à revitaliser et à stimuler la circulation sanguine ainsi que la respiration du cuir chevelu. La forte quantité de biotine qui entre dans la préparation de cette lotion est très importante, car la plupart des cas de chute de cheveux sont causés justement par une carence à ce niveau.

Après avoir utilisé le Shampooing Bio-Vital, vous rincez bien les cheveux, puis vous brisez une ampoule de lotion que vous versez et faites pénétrer dans le cuir chevelu en le massant de façon ferme.

L'Aloès Vera ne peut pas regarnir un crâne dégarni, cela va de soi, comme elle ne peut influencer certains facteurs tels le stress, les inquiétudes ou les problèmes quotidiens (vous devrez aussi voir à ne pas souffrir de carence alimentaire ou de carence vitaminique, spécialement au niveau des vitamines B et C), mais elle peut s'attaquer aux causes majeures de la calvitie: des pellicules trop abondantes, une mauvaise circulation sanguine dans la région crânienne, de l'eczéma ou une trop grande sécrétion des glandes sébacées. Elle les régularisera à coup sûr.

10

URGENCES ET PREMIERS SOINS

Les situations d'urgence surviennent (toujours!) lorsqu'on s'y attend le moins. Blessures, coupures, brûlures... et quoi encore! L'Aloès Vera a des propriétés particulières qui en font une lotion qui vous dépannera dans toutes les situations d'urgence.

Cette Lotion Premiers Soins, entièrement naturelle, soulage rapidement les douleurs. Elle constitue en quelque sorte une véritable anesthésie «naturelle». Cette Lotion Premiers Soins est un dérivé de l'Aloès Vera qui contient de la vitamine E, laquelle anesthésie les tissus couvrant toute la région où elle a été appliquée. Elle soulage ainsi la douleur profondément ancrée sous la surface, y compris la douleur associée aux articulations et aux muscles douloureux.

Autre avantage de cette Lotion Premiers Soins: elle réduit le temps de saignement, en plus d'être un anti-inflammatoire. Grâce à sa propriété antipruritique, elle calme les démangeaisons et accélère la phase régénératrice de la peau. Il suffit de l'appliquer généreusement et de couvrir la peau blessée ou irritée jusqu'à régénération complète. Notons qu'elle hydrate aussi la peau.

Un autre produit Premiers Soins est la crème. Elle est très efficace pour atténuer et même, dans certains cas, faire disparaître les taches brunâtres de la peau.

L'Aloès a tant de propriétés qu'on ne cesse de s'en étonner!

Et pour ceux et celles qui ont fréquemment des «feux sauvages», la crème fera disparaître ceux-ci en quelques heures!

11

LE NECTAR D'ALOÈS :
UN BREUVAGE TONIFIANT

Permettez-moi de vous présenter maintenant quelques breuvages santé qui
sont constitués de produits de base du
Nectar de l'Aloès Vera, lequel constitue un excellent supplément nutritif.

Les breuvages constitués à partir du
Nectar d'Aloès Vera vous permettent
de garder la forme, tout en vous don-
nant du tonus, de la vitalité et du dyna-
misme.

Pour tous ces breuvages vous n'avez
qu'à réunir les ingrédients suggérés
puis à les mettre au mélangeur.

Pas plus compliqué que ça!

- **Nectar aux canneberges**
  - 2 onces de Nectar d'Aloès De Longpré
  - 4 onces de cocktail aux canneberges
  - 2 boules de yogourt glacé (ou glaçons)

- **Nectar maraîcher**
  - 2 onces de Nectar d'Aloès De Longpré
  - 2 carottes fraîches
  - 1 pomme fraîche
  - 1 branche de céleri frais
  - 1/2 cuillère à café de citron frais
  - 2 glaçons

- **Nectar Clamato**
  - 3 onces de Nectar d'Aloès De Longpré
  - 5 onces de jus de tomates, de V8 ou de Clamato
  - 2 gouttes de Tabasco
  - 1 glaçon

- **Nectar aux fruits**
  - 2 onces de Nectar d'Aloès De Longpré
  - 4 onces de jus de fruits mélangés avec la grumme de banane concentrée
  - 2 boules de crème glacée

- **Nectar aux framboises**
  - 3 onces de Nectar d'Aloès De Longpré
  - 3 onces de Sprite Diète
  - 2 boules de yogourt glacé aux framboises

- **Nectar au jus d'orange**
  - 2 onces de Nectar d'Aloès De Longpré
  - 2 onces de 7-Up Diète
  - 2 onces de jus d'orange
  - 2 boules de crème glacée à la vanille

- **Nectar au jus de raisin**
  - 2 onces de Nectar d'Aloès De Longpré

- 4 onces de jus de raisin naturel
- 2 glaçons

- **Nectar à l'ananas**
  - 1 once de Nectar d'Aloès De Long-pré
  - 1/2 banane dans le mélangeur (mousse)
  - 3 onces de jus d'ananas
  - 2 boules de lait glacé

- **Nectar aux fraises**
  - 2 onces de Nectar d'Aloès De Longpré
  - 1 tasse de fraises fraîches
  - 2 onces de lait
  - 1/2 boule de yogourt glacé aux framboises

- **Nectar au lait**
  - 2 onces de Nectar d'Aloès De Longpré
  - 4 onces de lait
  - 1 cuillèrée à soupe de chocolat (ou 2 cuillèrées à soupe de caroube)
  - 2 boules de lait glacé

12

LES ENFANTS, LES ADOLESCENTS ...ET L'ALOÈS

Pour les soins des enfants tout autant que pour ceux des adolescents, l'Aloès Vera possède des propriétés extraordinaires qui répondent à leurs besoins et comblent leurs carences.

Le Nectar, par exemple, contribue à soulager rapidement les coliques de bébé, tandis que la Lotion Premiers Soins atténue rapidement les douleurs aux gencives comme... aux petites fesses irritées de bébé!

Voilà des utilisations pratiques quotidiennes auxquelles peuvent servir les différents dérivés de l'Aloès, spécialement le Nectar, dirais-je.

Les enfants, en grandissant, connaissent une foule de problèmes et parfois souffrent même de carences en vitamines et minéraux qui engendrent quelquefois des problèmes plus graves. Ce nectar, préparé à partir d'un extrait de la plante d'Aloès Vera cultivée organiquement, est stabilisé à froid et se présente sous forme d'un liquide agréable au goût, mais surtout très riche en vitamines et en minéraux.

Ce nectar devient donc, du coup, un supplément nutritif très efficace.

13

L'ALOÈS AU SERVICE DES SPORTIFS
(jeunes et vieux!)

Dans l'Antiquité, le sport consistait à revêtir une armure, à prendre les armes et à aller pourfendre l'ennemi — à moins que ce ne fût lui qui ne vous pourfende, à la suite d'une bagarre homérique!

Il faut le reconnaître, nos ancêtres étaient non seulement passés maîtres dans l'art de la guerre et du combat mais ils avaient également appris les «finesses» médicinales pour soigner et guérir rapidement les blessures qui en résultaient et qui étaient aussi nombreuses que différentes: coupures profondes, plaies, hématomes, fractures ouvertes, os disloqués, entorses, foulures, bursites, tendinites, ampoules et éraflures légères. Voilà qui, pour eux, était chose courante, pour ne pas dire quasi quotidienne.

Heureusement, nous n'en sommes plus là!

Outre que, de nos jours, nous avons adopté une vie plus sédentaire, les sports et les loisirs d'aujourd'hui se sont trouvé un mode d'«expression» plus civilisé et combien moins dangereux. Chacun peut pratiquer une discipline ou une autre sans trop de risques, je dis «sans trop» parce que, bien sûr, il arrive parfois qu'une maladresse quelconque entraîne certains malaises, certains maux, certains problèmes, bref, certaines blessures.

Nous l'avons vu tout au long de ces pages, l'Aloès Vera possède de nombreuses propriétés. Cependant, si on les réunit, on s'aperçoit rapidement que, sous une forme ou sous une autre, l'Aloès est le «remède» par excellence du sportif d'aujourd'hui. Plusieurs sportifs adoptent Duromal pour détendre leurs muscles.

Que ce soit simplement pour se donner du tonus, ou encore pour soulager des douleurs musculaires ou des entorses, soigner des tendinites ou même des ligaments déchirés, l'Aloès est tout indiqué.

Un simple verre d'Aloès Vera peut constituer un excellent tonique pour le sportif, particulièrement pour ceux et celles qui se sentent nerveux ou tendus à la veille d'une compétition ou d'un simple test et qui ressentent des malaises stomacaux ou gastriques. Dans la gamme des produits de l'Aloès Vera on trouve des dérivés qui calment et apaisent les systèmes nerveux et digestif.

Si la blessure est plus grave, on pourra avoir recours à une variété de traitements destinés à accélérer le processus régénérateur des tissus, ou de solidification des os fracturés. Je soulignerai qu'un traitement de ce genre, l'injection d'Aloès Vera directement dans l'os fracturé, a été mis à l'essai dans un hôpital en Allemagne et il a permis à 129 patients, victimes de fractures diverses des os de l'avant-bras, des épaules, des côtes ou de la mâchoire, de s'en tirer sans aucune séquelle! Le groupe-test, constitué de 71 hommes et de 58 femmes, dont l'âge variait de 20 à 60 ans et plus, a connu une guérison plus rapide qu'un autre groupe traité avec la médecine dite traditionnelle. Les résultats ont montré que le temps de restructuration des os dans lesquels on avait injecté de l'Aloès a été de vingt à vingt-cinq jours de moins que ceux traités de manière conventionnelle!

TROISIÈME PARTIE

UNE CLINIQUE
POUR VOTRE BIEN-ÊTRE

14

THÉRAPIE RÉVOLUTIONNAIRE : OXYGÉNATION BIO CATALYTIQUE

(Je la pratique sur moi-même

Nous travaillons également avec le «générateur d'oxygène Bio Catalytique», comme on l'appelle scientifiquement mais que l'on connaît mieux sous l'appellation de Bol d'air Jacquier et qui constitue un traitement révolutionnaire des maladies modernes. Combiné avec le traitement à l'Aloès Vera, il conduit à des résultats exceptionnels.

Mais qu'est-ce donc que ce «générateur d'oxygène Bio Catalytique»?

Il s'agit d'une technique d'oxygéna-
tion du corps humain par un procédé appelé oxygénothérapie catalytique. Le
principe est relativement simple, mais il
fallait que quelqu'un s'arrête à y penser
et le développe. Ce qu'a fait René
Jacquier, un ingénieur chimiste dont les
deux filles furent frappées par la coqueluche — plus jeune n'avait alors que 18
mois. La maladie, très violente, résista
aux différents remèdes de l'époque:
vaccins, médicaments, calmants, sirops,
rien n'y fit. Lors d'un voyage en avion
qui devait les mener chez un autre spécialiste, les deux fillettes présentèrent
leurs premiers symptômes de guérison.
Quelques jours plus tard, la maladie
avait complètement disparu.

René Jacquier chercha frénétique-
ment les raisons de cette guérison
rapide. «En partant de l'axiome qui af-
firme qu'il n'y a pas d'effet sans cause,
raconte le chimiste, j'ai cherché à expliquer les résultats positifs obtenus par

le voyage en avion qu'avaient fait mes deux filles car, si ce voyage avait eu un effet direct, c'est qu'il y avait des raisons matérielles à son action.» Après avoir retourné la question dans tous les sens, après s'être livré à de brèves expérimentations, René Jacquier en vint à la conclusion que le facteur de ces guérisons spectaculaires de la coqueluche était dû à l'oxygène assimilable libéré en plus grande quantité par l'oxymoglobine, une substance que l'on trouve dans le système sanguin.

«Ce qui compte, dit-il, ce n'est pas tellement la respiration d'oxygène pur, mais plutôt l'assimilation d'oxygène.» Et voilà! Il venait d'inventer un principe qu'il réalisa sur le plan technique et auquel il donna le nom de «générateur d'oxygène Bio Catalytique», mais la plupart des gens préférèrent l'appeler du nom de son inventeur.

Dans la pratique, le Bol Jacquier est un appareil qui contient de l'air dans un flacon de *Pinus Pinaster,* une huile essentielle; cet air, chargé de vapeurs de terpènes, souffle violemment, par l'intermédiaire d'un chalumeau, une petite flamme d'hydrogène qui est ainsi rapidement refroidie. La personne se place devant l'appareil et respire profondément, pendant quelques minutes, cet air qui lui apporte un effet bienfaisant. Cet effet salutaire est notamment dû à l'apport des dérivés d'oxinium (qui ont un délicieux arôme de sapin) qui génèrent une énergie nouvelle dans les poumons et augmentent considérablement — et de façon durable — l'activité physiologique de l'hémoglobine.

La planche de salut des désespérés

Le Bol Jacquier est donc un appareil technologique de haute précision qui vient au secours des personnes les plus gravement atteintes par la maladie et souvent les plus désespérées. Voici quelques exemples de maladies et de troubles graves des systèmes et organismes qui connaissent une rapide amélioration grâce à l'utilisation judicieuse du Bol Jacquier, laquelle va habituellement de pair avec des produits dérivés de l'Aloès Vera.

- Hypertension: le Bol Jacquier est venu au secours des gens atteints de maladies cardio-respiratoires telles que la tachycardie, l'hypertension artérielle, la bradycardie, etc.
- Nerveux (système): le Bol Jacquier va encore plus loin; il peut équilibrer un système nerveux dysfonctionnel — il faut rappeler le rôle prédominant joué dans l'organisme par le

système nerveux qui commande et coordonne les réactions cardio-respiratoires, circulatoires, vaso-motrices, humorales.

Mode d'utilisation

Dans la plupart des cas, le Bol Jacquier ne doit pas être utilisé trop longtemps. Ainsi, il est souhaitable de commencer par des séances de deux à trois minutes, puis d'en augmenter progressivement la durée jusqu'à dix minutes. Il est contre-indiqué de dépasser ce laps de temps, de même que de faire plus d'une séance par jour. J'ose espérer qu'on pourra s'en servir bientôt. Je souhaite d'ailleurs un Bol Jacquier pour chacun d'entre vous. Sachez qu'il y a huit mille appareils à travers le monde en 1990.

EN CONCLUSION
LA SANTÉ... EN DOUCEUR

Après avoir lu ce livre, vous conclurez très certainement que l'Aloès Vera est un remède «miracle». En un certain sens, cela est vrai. Tout au moins si l'on considère que les nombreuses propriétés de cette plante et de ses dérivés sont aussi nombreuses et variées qu'exceptionnelles. Il est rare de trouver un tel produit — ou une telle plante — montrant tant de vertus curatives ou thérapeutiques. Pourtant, tous les problèmes abordés dans ce livre, toutes les solutions avancées, ne sont pas un mythe; tout cela a été «certifié» autant en laboratoire qu'en clinique. Et cela, auprès de dizaines de milliers de personnes qui, comme vous et moi, souffraient de problèmes, petits ou gros, mais qui leur semblaient bien souvent insolubles. Mais l'Aloès Vera a réussi à redonner à tous non seulement l'espoir, mais aussi le soulagement et la guérison. Mais, comme je l'ai souligné dans l'un des premiers chapitres: ses propriétés ne sont vraiment efficaces qu'à la condition de suivre le traitement tel que recommandé. Je dirais même plus, à la lettre!

À la clinique qui porte mon nom, si nous avons privilégié l'Aloès comme thérapeutique, c'est parce que nous avons nous-mêmes été convaincus par des résultats probants. Avec les années et au fil des cas auxquels nous avons été confrontés, la thérapie à l'Aloès Vera — revue pour répondre à chaque cas particulier — est donc en quelque sorte devenue notre fer de lance.

Cependant, je dois tout de même le dire, nous offrons beaucoup plus que ce produit à la clinique. En fait, nous nous intéressons à tout ce qui nous permet de recouvrer la santé... en douceur: phytothérapie, organothérapie, homéopathie, rajeunissement tissulaire du visage, de la poitrine, des cuisses et des jambes; sans parler des thérapies aux champs magnétiques et laser ainsi que l'ionocinèse. Nous mettons à votre disposition toute une gamme de services qui vous permettront de jouir pleinement de la vie.

Nous offrons aussi, bien entendu, toute la gamme des produits dont je parle dans ce livre.

Un dernier mot

Je l'ai dit et je le répète encore, pour éviter toute méprise: il n'y a jamais de recette miracle dans la vie et l'Aloès

Vera n'est pas un remède miracle — pas plus que n'importe quel autre.

Ce que l'Aloès Vera a de plus, toutefois, ce sont des propriétés qui peuvent aider à soulager et guérir plus de maux et de malaises que n'importe quelle autre thérapie — à condition, bien sûr, qu'on suive fidèlement les thérapies prescrites. N'oubliez pas que si vous souhaitez que l'Aloès Vera joue ce rôle auquel vous vous attendez, vous devez aussi tenir le vôtre. C'est une condition essentielle, LA condition d'ailleurs dont dépendent les résultats que vous espérez obtenir.

Si vous vous pliez aux recommandations qui vous sont faites, alors vous serez soulagé sinon guéri. Je possède d'innombrables témoignages de gens qui ont vu leurs maux complètement résorbés grâce à l'Aloès Vera et qui attestent de la véracité et de l'efficacité de ces traitements dont on ne peut plus douter des valeurs curatives et thérapeutiques.

Et vous? Et vos problèmes? Et vos malaises?

Pensez à l'Aloès Vera.

Vous recommencerez à espérer, et ce sera le début de votre guérison.

Le meilleur ordinateur, on le possède tous. Dieu nous l'a donné. Programmez-le positivement!

Le secret d'une bonne santé...

Toujours disponibles
chez votre libraire

ÉDIMAG inc.

Biographie
ROBI, ALYS, Un long cri dans la nuit
  (ISBN: 2-921207-34-6)....................................19,95$

Ésotérisme
BISSONNETTE, DANIELLE, Graphologie et
  connaissance de soi (ISBN: 2-921207-14-1)..14,95$
LAVOIE, FLEUR D'ANGE, Le tarot rendu facile
  (ISBN: 2-921207-32-X)...................................14,95$
RICHARD, PIERRE, Les prophéties de Nostradamus
  (ISBN: 2-921207-43-5)......................................5,95$

Humour
TURBIDE, SERGE , Et voici Jean-Pierre
  (ISBN: 2-921207-81-8)....................................12,95$

Philatélie
BIERMANS, STANLEY M. , Les plus grands
  collectionneurs de timbres au monde
  (ISBN: 2-921207-77-X)...................................26,95$

Relation d'aide
POWELL, TAG & JUDITH, La méthode Silva – La
  maîtrise de la pensée (ISBN: 2-921207-82-6).19,95$

VIGEANT, YOLANDE, Espoir pour les mal-aimés
(ISBN: 2-921207-11-7).....................................19,95$

Santé

BOISVERT, MICHÈLE, Comment se soulager des
maux de tête et des migraines
(ISBN: 2-921207-91-5).....................................8,95$
BOISVERT, MICHÈLE, Comment se soulager de
l'arthrose (ISBN: 2-921207-85-0) ....8,95$
BOISVERT, MICHÈLE, La santé, c'est votre affaire –
Le guide de l'Homéopathie
(ISBN: 2-921207-45-1).....................................19,95$
BOISVERT, MICHÈLE, Libérez-vous de vos allergies
(ISBN: 2-921207-78-8).....................................8,95$
BOISVERT, MICHÈLE, Retrouvez votre forme avec
les oligo-éléments (ISBN: 2-921207-84)..........8,95$
CHALIFOUX, ANNE-MARIE, Mon guide santé
(ISBN: 2-921207-02-8).....................................14,95$
COUSINEAU, SUZANNE, Espoir pour les hypogly-
cémiques (ISBN: 2-921207-44-3) ....17,95$
LEFRANÇOIS, JULIE, La technique respiratoire
(ISBN: 2-921207-18-4).....................................15,95$
OUELLETTE, ROSE, Comment bien vieillir (ISBN:
2-921207-17-6).....................................11,95$
PROULX-SAMMUT, LUCETTE, La ménopause
mieux comprise, mieux vécue
(ISBN: 2-921207-76-1).....................................23,95$
PROULX-SAMMUT, LUCETTE, Son andropause
mieux comprise, mieux vécue
(ISBN: 2-921207-86-9).....................................13,95$

Sexualité

BOUCHARD, CLAIRE, Comment devenir et rester
une femme épanouie sexuellement
(ISBN: 2-921207-01-X)....................................16,95$

BOUCHARD, CLAIRE, L'orgasme, de la compré-
hension à la satisfaction
(ISBN: 2-921207-09-5)....................................16,95$

BOUCHARD, CLAIRE, Tests pour amoureux
(ISBN: 2-921207-10-9) ....22,95$

BOUCHARD, CLAIRE, Le point G
(ISBN: 2-921207-23-0)......................................5,95$

BOUCHARD, CLAIRE, La jouissance féminine
(ISBN: 2-921207-80-X)...................................14,95$

De ANGELIS, BARBARA, Les secrets sur les
hommes que toute femme devrait savoir
(ISBN: 2-921207-79-6)....................................23,95$

WESTHEIMER, RUTH Dr, Mon guide de la sexua-
lité (ISBN: 2-921207-75-3)..............................23,77$

Sports

GAUDREAU, FRANÇOIS, 100 conseils pour bâtir
une collection de cartes
(ISBN: 2-921207-60-5)......................................5,95$

LES ÉDITIONS DU PERROQUET

Amour

52 façons de dire «Je t'aime»
(ISBN: 2-921487-02-0) ....17,95$

Ésotérisme

HALEY, LOUISE, Astrologie, sexualité, sensualité,
sentimentalité (ISBN: 2-921487-10-1)............16,95$
HALEY, LOUISE, Comprendre les rêves et leurs
pouvoirs   (ISBN: 2-921487-03-9)....................19,95$
SCALABRINI-VIGER, LOUISE, Utiliser le pouvoir
des pierres (ISBN: 2-921487-07-1) ....17,95$

Santé

DAIGNAULT, DANIEL, Comment vous protéger du
soleil   (ISBN: 2-921487-04-7)..........................5,95$

Achevé d'imprimer
en août 1994
sur les presses de
Imprimerie H.L.N. Inc.

Imprimé au Canada — Printed in Canada